北京古籍叢書

[清]麟慶 著文 [清]汪春泉 等 繪圖

鴻雪因緣圖記

第四册

圖書在版編目（CIP）數據

鴻雪因緣圖記．第四册 /（清）麟慶著文；（清）汪春泉等繪圖．— 北京：北京出版社，2018. 2
（北京古籍叢書）
ISBN 978-7-200-13578-7

Ⅰ．①鴻… Ⅱ．①麟… ②汪… Ⅲ．①古典散文—散文集—中國—清代 Ⅳ．① I264. 9

中國版本圖書館 CIP 數據核字（2017）第 282811 號

項目策劃：安　東　　項目統籌：許　可
責任編輯：喬天一　許　可　　責任印製：宋　超
裝幀設計：郭　宇

北京古籍叢書
鴻雪因緣圖記
第四册
［清］麟慶　著文
［清］汪春泉　等　繪圖

出　版　北京出版集團公司
　　　　北京出版社
地　址　北京北三環中路六號
郵　編　一〇〇一二〇
網　址　www.bph.com.cn
總發行　北京出版集團公司
經　銷　新華書店
印　刷　北京京華虎彩印刷公司
開　本　八八〇毫米×一二三〇毫米　三十二
印　張　十點二五
字　數　一二六千字
版　次　二〇一八年二月第一版
印　次　二〇一八年二月第一次印刷

書號　ISBN 978-7-200-13578-7
定價　98.00 圓

凝香室鴻雪因緣圖記目錄

長白麟慶見亭氏著

第二集下册

淮雲日纪圖書

清晏受福

清晏受福

河道總督原駐濟州，雍正間分設南河，始以清江浦行館爲節署。署西有池，張文端公（名鵬翮，四川進士，康熙間任，後晉大學士。）開，有園，高文定公（名斌，滿洲生員，乾隆間任，後晉大學士，入祀賢良祠。）闢，名之曰荷芳書院，拙老人蔣衡（江蘇生員，文定公幕客，手寫十三經，文定奏進，詔立石太學，欽賜國子監學正。）所書也。乾隆初，

高宗南巡，赴武家墩閱湖，過此臨幸，因在河臣署右，即

賜爲休沐之地，尋名淮園，又名澹園，後改清晏。甲午正月，

余以園額剝落，和墨易書。忽報賚摺弁回，頒到

御書福字一方，鹿肉、麅肉、湯鹿肉全分。謹具公服，跪迎

祗領。清晏受福，於茲為始。初，麟慶之在荊州也，適
奉總督南河馳驛赴任之
命，因陳臣官安徽，河南，均迎養臣妣惲氏在署。上年蒙
恩簡放貴州藩司，臣母因年老路遠，不能就養，以貴州
係邊地苗疆，諄諭勉圖報効，立督起程。隨留家屬
侍養，暫寓汴梁。茲接家信，知母病未愈，倚閭情切。
請俟查辦事竣，即赴河南省視，等因。會先於四月
十四日棄養，豫撫以聞。比奏到，奉
硃批：不幸，不能遂汝所願，著來京成服，百日後面見。欽
此。時已星奔至豫，捧

批感泣，抱恨終天。六月，奉
櫬還京，恭延祝蘅溪（名慶蕃，河南，榜眼，今官尚書。）胡雲閣（名達源，湖南，探
花。）二學士陪　潘芝軒師相（名世恩，江蘇，狀元。）題
主，奉入宗祠。八月，合葬於東直門外酒仙橋北
泰安公墓。初六日，泥首
宮門。奉
旨：麟慶百日孝滿，著即往署江南河道總督。欽此。并
諭：汝母深知大體，汝當移孝作忠。等訓。初七、初九、十一
名見，賜克食三次。謹即跪
安出都，九月二十八日到任，至是已三閱月矣。

天然定誌

天然定誌

天然牐，在徐州府黃河南岸王家山之西，因山為牐。十八里屯牐在山之東，均康熙二十三年靳文襄公（名輔，漢軍，官學生，特賞編修，兩任河督，功績最著。勅建專祠致祭。）建以減漲。其水由馬厰、靈芝、孟山等湖入洪澤助淮後，因久放漸淤。天然牐在山半，尚合用，惟距河過近，乃於紅廟前開引渠，作倒勾勢。其十八里屯牐，則淤埋土內。嘉慶間，有老民張進（年一百三歲）自言，幼時曾坐牐耳上，約記其處，掘之果得。因

奏明修復，并於迤南虎山腰就凹處剷平作滾壩，

聖製碑文紀事，建亭山巔。至放壩準則，向以府城北門水誌為度。近年來河帥黎襄勤公名世序，河南，進士，勅建專祠致祭。專主減黃，定一丈八尺。張芥航先生又專主嚴守，定二丈七尺。高下既殊，輿論不一，議啟議守，各狥其私。余親沿山履勘，見徐郡兩岸皆山，河流至此一束。北亢，南窪，且府城雉堞矮大隄五尺，北門石工頂衝著險，因悟靳文襄公在遆上作牐者，實衛徐城，非止宣洩漲水也。或謂減壩之設，與束水意相反，不知所減係有餘之水，俾大溜歸槽，逼刷中泓，理實相成。特未遆誌而先啟，及既減漲而多

洩，流弊滋多，則皆由奉行不善。竊以爲得守且守，應放必放，爰參酌增減，定以二丈五尺爲準，責成徐州道專司啟閉，

奏明立案焉。

河雪臣總匯書

美濟成平

平成濟美

平成臺，在海安廳屬雲梯關外禹王宮後。阿閣三重，丹青綺分，為余　叔高祖卓亭公建以望海。公諱完顏偉，乾隆初，以東河總督權篆南河，額即公所手書也。關下為大通口，古淮黃入海處。嗣因日淤日遠，嘉慶間，百文敏公（名齡，漢軍，進士，時任江督。）登臺不見海，乃東去一百四十里，建望海樓。今則登樓亦不見海矣。議者每咎海口不暢，余乃親乘小舟至口探水。自南而北，深淺不同，而黃流東注甚暢，潮汐日至，疏濬難施。且查禹貢紀河之入海曰：同為逆河入於海。夫河也，而以逆名，海湧而上，河流而下，兩相敵而後入，故曰逆。既播為九，又曷為同之。不同則力不一，即不能逆海而入矣。又考河防一覽曰：海無可濬之理，惟導河以歸之海。然河非可以人力導，惟善治隄防，俾無旁潰，則水由地中沙隨水去。二者均千古不易之論。爰具摺陳明海口無可疏治，河身底淤，非人力所能强刷，疏濬器具祇可備運河挑挖之用。黃河工曰搶修，顧名思義，以速為主。平日儲備料土，以防為治。其要全在用人，且情形時有不同，習氣相沿已久，惟

當遇事率由舊章，治弊去其太甚。等因。尋奉

硃批：觀汝所論，頗為正當。果能日久得效，不止汝為一代名臣，能承朕恩，而朕亦獲知人之明。勤實慎勉而外，無可諭矣。欽此。逾年，重拜臺下，孫雲槎司馬（名德坦，直隸舉人。）請留書濟美。敬題楹帖曰：與水不爭能續奏八年，東漸於海，登堂思肯構，日窮千里，更上此臺。

河雪臣絢匯訂

福興起碑

福興起碑

裏河廳屬運口，為洪澤湖水入運門戶。前明平江伯陳瑄建天妃等五閘，其後潘季馴移運口於甘羅城南，另建石閘，亦名天妃，旋俱淤廢。我朝康熙十六年，靳文襄公奏改運口於爛泥淺之上，開兩渠互為月河，以紓急溜，二十三年，修復天妃閘，改名惠濟。四十九年，建越閘以備輪替之用。乾隆三年，高文定公奏在惠濟閘下，酌添正、越石閘各二座，以關鎖湖水，保衛淮揚。尋名二閘曰通濟，三閘曰福興，至今行漕。余下車親勘，見通濟越閘

葉經修整，其惠濟越閘、福興正閘，前任曾議析補，祇以畏難未辦。爰即請

帑興工，委副將張兆（字景峯，銅山人。）知府朱櫺（字春輿，浙江，貢生。）監修。福興正閘，甲午四月戽水既淨，拆石見底，忽得臥碑。遂鳩工人，貫木而旋，系繩以引，置諸廟前。余聞報往觀，其文曰：淮水清，湖水平。百世安瀾慶有成，從此河防萬福興。後署乾隆三年督河使者高斌造。因命工摹搨，而援筆和之曰：運河清，閘溜平。九十七載重告成，我和文定歌福興。後亦署款勒石，同藏閘内。是冬，　陶雲汀先生來浦取觀，入

覲時奏及。
上喜曰：此正應麟慶名字，甚吉利。乃歸為麟慶述之。

濮墨医续医訓

清華品秋

清華品秋

老友顧西園，名文虎。青浦布衣，精青烏術。癸巳冬過此，見園中方池，曰：此署以水為主，西南石閘不可露，宜覆以鎖水口。中央草亭不可廢，宜建以點波心。余然之，乃先掩閘以石，織葦為垣，編竹成籬，綯茅作屋。其前方池渺渺，垂柳交蔭，爰置石几四，為游釣地，取晉謝混詩意，額曰水木清華。楹帖曰：雲影涵虛，坐如天上；泉流激響，行自地中。對岸鶴房、鹿室，亦均縛草為之。甲午秋七月中，河水漫堤，趕飭搶合，詎澆戧不速，既堵復開，乃撤廳營任，親

駐督辦。十日又合，重漕無誤，仍自請議認賠。得
旨：銷軍功加一級。又
奏獎外委徐祥搶埽沒於水。得
旨：賜卹，予廕。幸克化險爲夷，逮九月既望，西園重來，適
畫史張仙槎亦至。仙槎曰：古云，有園無水，壓土未
滌。有水無亭，亦棄水也。亟宜復建，並作長橋數折，
以掩映成境。因取柳炭草成一圖，曰：公園可畫，而
余畫可園。余喜甚，乃相與坐石几，觀秋色。風來水
面，涼意蕭瑟。時園中畜鹿六，或寢，或訛，或飲於池，
二鹿作角觝戲，一鹿昂首長鳴。西園曰：秋氣最清，

鹿感清氣始鳴。仙槎曰：清與詩近，秋士多悲，故偉壈坎傺之士，多託以抒不平之鳴，所以楚無風而離騷特傳也。余謂騷者憂也，憂之過比於怨，故不得列於三百。人果胸懷蕭散似秋，氣象淡遠似秋，筆墨曠爽似秋，隨地隨時，心與境會，斯眞得氣之清者。若鹿鳴一詩，發於至情，故古用以宴嘉賓，今用以襄鉅典爾。

貞應培堤

貞應培堤

貞應祠即露筋祠，在高郵州南。康熙四十六年，聖祖南巡，賜節媛芳躅額。嘉慶二十年，回空凍阻時，陶雲汀先生官巡漕，禱冰靈應，奏乞恩頒封號，重修祠宇。歲甲午，李蘭卿同年（名彥章，福建進士，時官河道，後晉鹽運使。）議建三十六湖樓於祠左。余按部過之，見祠後地窪積潦，形兜囊水，命撈取水中土，築成月隄，以資拱衛。乙未再往，則已俱落成矣。蘭卿乃張宴樓頭，撤蓋整衣，罄罏瀝觴。俯視東北，綠陰虧蔽，河水靚深，篠岸柳堤，遠近映帶。南則飾堊塗丹，綴以綺樹。西則柳搖荷茁，翠色上浮。憑欄四望，祇見水光映天，涵青蓄黛，帆影出沒，若有若無。蘭卿僂數湖名，若為通介，並出女史許定生（名淑慧，青浦，孝女。）所繪湖樓圖囑題，即席成二律。云：新堤一曲護祠堂，小築湖樓對水光。春色十分三月暮，煙波四面萬帆張。題詩且喜聯名士，作畫端宜倩女郎。插柳栽荷風雅甚，知君經濟在宣房。其一 憶昔新安綰郡符，曾經信宿駐天都。百千萬轉溪流疾，三十六峯雲海殊。一自服官游楚豫，而今建節領河湖。竭來洞啟樓窗望，近水遙山總舊途。

其二

闲雪日经匪訂

惠濟呈魚

惠濟呈魚

惠濟祠在清河縣運口，爲漕行要道，帆檣林立，香火繁盛。本鐵鼓寺，前明嘉靖間改今名。乾隆十六年，

高宗南巡，發帑重建殿宇樓閣，均易黄琉璃瓦，規制崇閎，迥非昔比。道光十五年，因年久剝落，麟慶奉

皇太后恩詔，奏請重修。委同知江瀚（字春濤，安徽，供事，後官河道。）監工，得鐵鼓於樓下，渾鐵鑄成，中圖太極，扣之其聲淵淵，惜無字紀年月。又得鐵鐘於門外墻角，相傳每懸卽墜，用是棄置。上有篆刻，苔蝕塵封，漫漶莫辨。洗滌觀之，皆嘉靖時權閹名姓，始悟

天后昭昭在上，屏斥奸黨之意，令人凜然。先是，黃河入海，兩尖之間有巨魚吞舟，為害商民。禱於天后，乞賜驅除。一日風潮大作，擁魚來置海灘上。汛弁往視，見魚目新抉，血淚盈眶。以繩遙度，自頭至尾，長十八丈，高四丈有奇。仰望魚脊，朱書顯露。有目兵梅永安者，梯而觀之，識其字曰：此鰇魚一千一百年，因傷生云云，以下不可辨。於是漁戶爭持刀斧，臠肉取油，閱六七日，始剔淨肋骨一具。會風潮來，仍擁之去。乙未春，余巡海口，汛弁舉骨呈驗，已折去三分之一，計尚長一丈二尺，圍圓五尺餘。

爰載柳船，運至祠下。比新工落成，即同鐵鼓並置殿上，分左右列，以垂永久。

洗冤錄續圖記

爰載柳船，運至祠下。比新工落成，即同鐵鼓並置

殿上，分左右列，以垂永久。

潜斋医综图说

西園賞雪

西園賞雪

乙未夏六月，黃、運並漲，奇險疊生，重漕阻渡。直至閏六月，始得放竣。七月，海嘯為災，黃河又漲，幸俱搶護無恙。九月奉

旨：麟慶現已服闋，著實授江南河道總督。欽此。維時安瀾已告，河務稍暇，乃議整理清晏園。制仍舊貫，參用新圖，集料鳩工，以次修舉，不月餘而有亭屹然，有橋亘然，有廊翼然，有堂軒然。堂五楹，檻外石臺廣可一畝，面臨大池，遮以亞欄，原額衡鑑，余易以瀾恬風定之軒。並題楹帖曰：退食自公，最喜逢春

暖秋清，水流花放，澄心相對，更靜參鹿鳴鶴和，魚躍鳶飛。自是賓至而享，吏休而宴，胥於是乎在。暇日，偕眷屬遊息其中，種竹栽花，釣魚飼鶴，邀清輝於明月，納爽籟之和風，怡怡然實得天趣。一日，大雪，毰毸自舞，圭壁相鮮。池水初冰，氣尤腴潤。余圍鑪坐對，課兩兒背誦梅雪諸詩。內子率二女襲裘踏雪而來，並攜壺榼瓶盎，煮酒烹茶以為樂。次兒崇厚，團雪鏤花，幼女佛保，年四歲，（壬辰五月生）慧甚，索胭脂水染之，雅合消寒圖意。尋惇甫叔祖（名英裕，官織造。）自浙江來，季燾弟（官賓州知州。）自廣西來，舊友蔡桂山名天培，官同知。自廣東來，檇春小駐，均以斯園為勝焉。

沅湘耆舊集

雲龍聯詠

雲龍聯詠

雲龍山在徐州府城南。舊志，常有雲氣，蜿蜒如龍，故名。東巖石峯圍匝，中鑿大佛。山上有亭，為宋張山人天驥放鶴處，蘇東坡為之記。乾隆二十二年，

高宗南巡，士民望幸情切，因於山麓創建

行宮，并於山前砌石為臺，建試衣亭，尋蒙

親灑宸翰，立石山頂，覽戲馬臺、奎山塔俱成培塿矣。歲在甲乙，余凡三度按部過之。丙申二月，巡防桃汛，又駐彭城。武仙槎（名凌漢，陝西進士，官河道。）請一覽其勝，乃偕僚佐同登試衣亭，微雨乍晴，和風駘蕩。比登放鶴亭，

席地列坐，見大河前横，羣山拱伏，綠野延秀，豁目爽心，起而摩挲古碑，清興不淺。仙槎出陶雲汀先生乙未題壁作相示，讀至鄉里無情關項劉句，不禁感慨係之。遂步韻奉和曰：蟠龍山勢擁徐州，此日登臨最上頭。亭可試衣風浴好，人因放鶴姓名留。舊疆遥指淮通汴，往事休論項與劉。郤喜吾師先駐節，巡邊即以奠黄流。吟成，僚佐爭和，仙槎即并原唱勒石焉。時同行和詩者王季海、名啟炳，山東，舉人，官知府。田小坡、名寶齋，河南，廩生，官同知。晏曉谷、名曙東，雲南，舉人，官同知，後晋河道。萬嵋泉、名醇，江西，副貢，官通判。王虎臣、名文炳，山西，舉人，官知縣。楊春卿名鴻彬，福建舉人，官知縣也。

高明

讀書

高明讀畫

高明寺，在揚州府南茱萸灣，其水北承淮流，西達儀徵，南通瓜步，故名三岔河。寺有塔，曰天中。康熙四十二年，
聖祖南巡，
賜寺名並雲表天風塔額。嗣是
高宗六巡駐蹕，疊蒙
宸翰、法物之錫，遂令茲寺擅名千古。丙申季夏，余因洪湖水旺，預勘歸江去路，並廖、石、董三溝，遂由瓜口出江，查看江水歸海情形。舟過寺前，見琳宇嵯峨，飛

甍壯麗。適舊友江啟同家居來迎，因舟中熱如甑，相邀入寺，至法乳居，修篁蓊蔚，幽碧侵人，塵襟一滌。鍾挹雲（名承露，安徽廩生，官同知，今晉知府。）後至，囑寺僧取所藏書畫消夏。見元趙子昂普門眞品經圖四帙，書既波磔秀逸，畫尤工細絕倫。又有十六應眞册，署延祐元年春三寶弟子趙孟頫敬寫。其天女散花生公說法及魍魎羅刹、狻猊、龍虎之類，行筆極細，而形神情態無一不肖，精采煥發，能使觀者神遊，直覺身入其中，與阿羅漢對語。想經營盤礴，泯却筆墨畛畦，不知與尉遲乙僧吳道元何如，信不在李龍眠下，畫至此能事畢矣。又龍卵一枚，長五寸許，狀如盎，質如磁，花紋細碎，通體紫斑，頂有圓孔，僅容一指。按聞見後錄載，嘉祐瑞物十三種，鳳卵色白而大，龍卵紫斑而小，是亦奇品，因并記之。

妙高望月

妙高望月

金山古稱氐父，亦名浮玉，在揚子江中，因唐裴頭陀開山得金，故名。東麓有善才石，一名鶻峯。西有石排山，相傳爲郭璞墓，山頂有塔，曰慈壽，有峯，曰金鰲。旁有妙高臺，空濶凌霄，煙波四繞。寺建於六朝，本名澤心，後改龍游。康熙間

聖祖南巡，

賜江天一覽四字，因改名江天寺。尋又頒

御書寶帶名藍額，自是聲名益重。丙申六月十有七日，余放棹瓜步，遥望修廊傑閣，金碧交輝，與夕照江光

相激射。登山入丈室。觀蘇東坡所留玉帶及
御賜法物。會日向夕，即投僧房宿。山僧各據一房，自矜細
致，余笑其如蛛蝥向花葉中作一窩，不知此外有
衆香國也。飯罷，秉燭問裴公洞，其中乳泉滴瀝，陰
冷逼人，乃去而登妙高臺。適月出海門，其下波濤
作水銀色，不可瞪視。俄而光及殿鴟，茂林延之，漾
漾如鏤玉葉。少焉，月升天表，影印於江，一水一月，
所印皆雙，蕩為碎影，瀲若淪光，靜觀自得，心物兩
忘，覽外觀萬物而非我累，內觀一心而非我有。爰
作歌曰：天地廓如兮境空明，山比砥柱兮頌平成，

月明如畫兮江流有聲。

甘露凌雲

甘露凌雲

北固山在鎮江府城北，三面臨江，巖壑陡絶。晋蔡謨建樓其上，梁武帝登樓延望，更名北顧。吳孫皓建寺山旁，因值改元甘露，遂以命名。宋祥符間移大殿於山頂，因山為廊，直通殿左。吳琚榜曰天下第一江山。又，唐節度使李德裕在山東鑄鐵為塔，高七級，以鎮江潮，因名衛公塔。東為走馬澗，甘露港，其水俱入大江。丙申六月，余勘京口埽工，乃過定波門東行，有土坡中隆若脊，僅容一騎，緣坡到門，望寶殿巍峩，儼在雲際。循廊左轉，過殿，登多景樓。樓北向，面臨大江，金、焦二山拔出江心，岌業於左右。金山寺裏山以壯麗勝，焦山山裏寺以幽冶勝，且江流滾滾，橫亘於前，南臨鐵甕，北接瓜步，西連天蕩，東控海門，浩浩乎，蕩蕩乎，覺目力有盡，水流無盡，誠哉巨觀也。尋過衛公塔，讀塔銘。謁三賢祠，祠祀李衛公、蘇東坡、米南宮，額曰稱此江山。又有巨石狀如羊，或指曰此很石，為諸葛武侯與吳王孫權坐謀破曹處。夫石一蠢物，乃經武侯一坐，其名遂傳千古，是知江山雖勝，而所以傳此名勝者，則又實在乎人矣。昔世說記荀中郎羨在京口

望海，云虽未见三山，便使人有凌云意。余则以为

海。上三山，亦未必胜此京口三山也。

焦山放鼉

焦山放鼉

焦山在鎮江府東北揚子江中，古名樵山。距北固山九里，與金山對峙，相距十五里，對岸為象山。因漢處士焦光隱此，稱焦山，又名譙山。山前臨江有寺曰普濟，剏自東漢。康熙四十二年，

聖祖南巡，賜名定慧寺。前有人勝坊，右為不波亭、馬頭，左有自然菴、松寥閣、水晶菴、問渡亭諸勝。丙申六月，余自北固放舟，逆風使帆，折如之字，抵山，登馬頭，玩明胡纘宗書海不揚波四大字。初，余之自清江起節也，見有圍布鳴金，邀觀異物者。命弁往視，圖

形而歸。查知為鼉，購以十金，載以副舟，至是來會，爰命放之大江，去而復返者再，乃置之放生池，悠然而逝。因作歌示借菴上人，性源方丈。歌曰：滄海有老鼉，方首四足具。龜紋而龍形，橫飛破雲霧。一旦失所依，竟受小兒錮。予特憫其窮，贖以當千布。巡江攜之來，鼓棹臨瓜步。樓閣簇金山，輝映郭璞墓。景純本鼉精，舊典紛可數。我欲放其間，會為守者誤。徑載赴焦山，擲向波心去。鼉也始洋洋，昂首屢回顧。以泳且以游，洄泝山前路。復載以輕舸，置之象山渡。鼉也先馳回，依然來故處。或云氣力微不敵江濤怒。或謂已通靈，願依仙山駐。佛說好因緣，欲解不知故。回頭問大師，一笑參禪悟。乃投放生池，深潛得所附。即此作布施，願得大師護。借菴、性源即依韻見和。尋吳縣顧春藻、儀徵江慶瀾作記，長洲沈景行、江都孟金輝、海州張振、鎮江僧几谷，各繪為圖，豎碑池上，題曰麟公放鼉處。

三詔題名

三詔題名

初，余於道光癸未，自都赴皖，阻風瓜口，曾偕惲子尚外兄買舟赴焦山，由西馬頭登岸，至棧道巖一遊，今已十四年矣。余既放鼉畢，仍由西南行，取道浮玉巖。巖上刻浮玉二大字。又有宋陸務觀踏雪觀瘞鶴銘，及明徐有貞、獨往生等題名。一路磴盤崖聳，或履樹根，或緣石壁，或接以容足之木，所喜旁多疊松叢篠，石楠芳枳之屬，虧蔽大江，令人忘不測之險。隨行各官，俱以從遊久，形跡儀數，悉皆捐脫，頗饒真趣。崖半有洞，傳即焦先生隱處，以曾三詔不起，得名。洞中肖先生像，深衣博帶，神韻蕭閒。洞左即棧道巖，爰呼僧取筆硯，自題石上曰：道光十有六年，歲次丙申，六月既望，巡閱江工，重登此山。時隨行者遊擊陳三貴、同知鍾承露、知縣王湘、守備汪元音、張嘉桐也。督河使者長白麟慶記。挹雲即命工勒之石。沿巖左轉為觀音崖，上有閣，壘石而成。旁有神勇殿、佳處亭諸勝。再上為天開勝境坊，乾隆十六年，恭建

行宮，今存鏡江樓。雖丹雘闇淡，小有頹落，而倚參天之峭壁，俯萬里之長江，石公、北固當其前，松、寥二

峯峙於後，左圖右金，實兼秀冶雄麗之勝，所以

高宗聖製詩云：若以本色論山水，我意在此不在彼。

潮雪巴綠圖訶

别峯尋逕

別峯尋徑

別峯菴在山後，余由天開勝境坊問路西峯，竹樹陰翳，天人盡綠。石徑屈曲其中，如行甬道。過雙峯凹，俯視叢篁中，隱露一菴，迺穿竹尋徑而下。菴以碧蘿爲門，其中廊榭雖不偉，而傍山起殿，架木成廂，頗饒幽趣。山僧瀹茗爲供，并出舊搨石刻二相餉。一宋佛印作，曰：絕頂無尋處，何人爲指南。回頭見知識，元在別峯菴。一明楊椒山先生作，曰：楊子懷人渡揚子，椒山無意合焦山。地靈人傑天然巧，瞬息神遊萬古間。不禁狂喜。問石所在，僧言已墜江中矣。恍惜久之。乃啟後窗，則見江流浩淼，煙水絪緼，而揚州之塔，瓜州之樓，掩映雲際，宛然天開圖畫。會暝煙將合，乃出菴循原路登東峯，至吸江亭。亭中肖四面佛，下瞰大江，涼氣飄泊，身與天浮。又東北過青玉塢，入海門菴，因題二律，曰：翠靄接深林，蕭蕭萬竹森。就中開石徑，斜下過山陰。塔影隨煙直，波光帶霧沈。憑欄一吟眺，忘却在江心。其一 載陟崇椒上，空亭拜佛龕。直臨青玉塢，轉入海門菴。山隔紅塵遠，樓藏綠影酣。此眞清淨土，我亦欲和南。其二 借菴見而屬和，曰：一徑繞香林，重重竹影

森。雙峯如畫裏，孤磬出巖陰。古翠應多積，殘陽已半沈。忽聞天使至，帆影落波心。其一

節鉞臨江島，來尋彌勒龕。雲歸焦隱洞，路轉別峯菴。笑語聲無間，登臨興正酣。新詩題在壁，傳誦滿江南。其二

海門坐雨

海門坐雨

海門菴在焦山東北隅，門臨放生池，即放鼉處。丙申六月，小坐菴中，見雲起如墨。僧曰：龍作雨矣，然風逆，不吾及也。須臾，數點雨過，乃至自然菴，對江小酌。忽涼風襲肌，山雨驟至。午夜雨止，月色如畫，江波如空，因口占云：雨過天如洗，浮雲一掃開。晚潮門外轉，涼月夜深來。山影仍三疊，清光散九垓。自然空濶甚，何必妙高臺。曉起過海西菴觀書，藏錢梅溪泳（江蘇布衣）。額曰：天下江山第一樓。謹奉吾母紅香館詩草，并選輯蘭閨寶録、國朝閨秀正始集及所刊李二曲集、觀楞伽記等書，尊藏樓中。尋過定慧寺方丈，觀周宣王賜南仲鼎，圜腹三足，雲雷紋，有耳，高尺三寸二分，腹中篆銘共九十三字。又漢定陶鼎，連蓋高七寸三分，上有三環、兩耳、三足，蓋與器隸銘，共五十二字。又至殿左讀瘞鶴銘，計存七十七字，相傳為晉王右軍龍爪書。名流考証，聚訟棼如。余按體參篆隸，石無年代，署款有上皇山樵、華陽眞逸、丹楊仙尉等稱，大抵皆潛虛慕道之流，彼既逃名，又何必强指實之。尋重過海門菴，徘徊放生池上，鼉忽自水浮出，若識余來觀者。僧言：夜曾上岸食瓜果，因捐百金為鼉俸。會海雲湧起，沈綠深黛，東風大作，頃刻雨至，滂沱如注。復坐菴中，歷兩時許，仍不止，乃冒雨歸，宿自然菴。翌辰將行，風雨復至，又留一日。得句云：

信宿焦仙嶺，清遊願已伸。江山偏戀我，風雨又留人。吹浪魚爭聚，窺簷鳥亦親。有情即妙諦，應是再來因。

詠樓話舊

詠樓話舊

借菴上人，法名巨超，一字清恒，舊主焦山講席。余幼時聞京口三詩僧名，即借菴與古巖、練塘也。今古巖、練塘均已涅槃，惟借菴存，年八十餘，退居平山法淨寺。其徒性源，錄余放還諸作相寄。借菴即日屬和送回。余返棹過平山訪之，相見恨晚。借菴杖策送過保障湖西之高詠樓。樓東向，相傳為蘇東坡題西江月處。邑人李志勳（商籍生員，恩賞奉宸苑卿銜。）建。乾隆二十七年，
鑾輿蒞止，特賜今名。樓之南為露臺，過橋為曠如亭，折而

西，經小橋，土山環抱，有廳名五福。樓之北為含青室。室後為初日軒。軒左度橋為青桂山房，其東山皆黃石壘成，高下突兀，一小亭出其上。沿徑北折為雙畫舫，亦名流香艇。今則布置依然，荒落殊甚。借菴指而言曰：平山之勝，不在山水，而在園亭。此園前以石勝，後以竹勝，中以水勝，而且長廊分繞，曲室旁通，實為邗上勝遊之冠。僧曾躬逢其盛，撫今追昔，不勝華屋山邱之感。余因笑誦坡翁西江月原詞，至休言萬事轉頭空，未轉頭時皆夢。借菴合掌曰：達哉，至言也，因相與一笑而別。

桃庵雅叙

桃菴雅敘

桃花菴在迎恩河東，長春橋北，舊名臨水紅霞。乾隆間，邑人周枏（江都，拔貢。）建。溪水到門，門前有嶼，上結螺亭。南有板橋，接入穆如亭。嶼竟琢石為階，菴額為朱子穎都轉（名孝純，漢軍，舉人。）書。入菴，殿供大悲佛。後為飛霞樓，左為見悟堂。樓右小廊開圓門，門外穿太湖石，廳事三楹，曰紅霞。迤東曲廊數折，兩亭浮水，小橋通之。再東曰桐軒，因曾迎篠園三賢粟主於此，改稱三賢祠。丙申六月，劉鑑泉（名源灝，順天，進士，官知府，今晉糧道。）鍾杷雲相邀，雅集於此。乃坐紅霞廳，洞啟東西牖。時荷花盛開，香氣襲人。見有園丁踏藕，即命自牖中送入，雪而食之，甘洌異常。相與解衣縱談，挹雲因言三賢之祀，創於平山堂之眞賞樓，後盧雅雨都轉（名見曾，山東，進士。）始定以我

朝王文簡公配宋歐、蘇兩文忠公，而諸賢從祧。余按平山堂闢自歐公，盛於蘇公，迨南渡以後，四郊多壘，自元及明，餘風未振。我

大清定鼎，治平無事，長吏始得以休沐餘閒，歌詠太平之盛。文簡公司李揚州，登山開堂，揖二公而宴諸生，直不啻折荷於郇伯，賦雪於聚星。蓋其精神注

鄉二公，而結緣尤在平山，允宜同祀。且揚州利檀鹽筴，俗競刀錐，若任其流蕩，將盡成豪侈淫靡之習，而爲害人心。倘過事裁抑，又難期貨財技藝之通，而有傷生計。維茲三賢寓政事於文學，實有以化駔儈之風，敦文章之雅，又豈俗吏所知哉。

潤雪匡繼圖詩

謙豫編圖

謙豫編圖

南河節署，廳事五楹，高文端公（名晉，文定公姪，乾隆間任，後官大學士。）額曰：行所無事。廳後有屋，為黎襄勤公註河上易處，額曰謙豫。蓋取二卦有合治河妙義。余自乙酉承乏河道，始讀河書，見賈讓三策，歐陽元至正河防記，潘季馴河防一覽，靳文襄公治河方略，張文端公奏議，張清恪公（名伯行，河南，進士，任山東運河道，後官尚書。）居濟一得，徐心如（名端，浙江人，官河督。）安瀾紀要，均為治水津梁。其他如胡渭（浙江，生員。）禹貢錐指，傅澤洪（漢軍，舉人，官河道。）行水金鑑，齊名南水道提綱等書，亦足以資考據。

獨是修防器具，古無成書，因思工欲善事，必先利器。乃於周歷工次之時，見一器即繪一圖，詳問深攷，積久成帙。會因改官而罷。歲癸巳，復承
恩簡，總督南河，江湖運道，工險事繁，器具益多，又復隨時攷證，計前後凡九年，得具二百八十有九。有專為乎工而別立主名者，有不專為乎工而修而兼用者，有類於古而實創自今者，有宜於今而無異乎古者，爰於退食之暇，坐謙豫齋，陳列器具，大之如雲梯木龍，小之極鼠弓獾沓，以及天平架、地成障、翻泥車、清河龍等具，工不恒用之物，均按圖以

尚其象，立說以推其原，分門為四，曰宣防、曰疏濬、曰搶護，曰儲備，而總題為河工器具圖說。時繪圖者東河卞駿超、虞城人，官外委。南河譚慶成清河人，官千總。也。

氾光證夢

氾光證夢

氾光湖在寶應縣，北連白馬，南通甓社，西接洪澤，東達射陽，爲前明漕行要道。嗣以風濤險阻，開越河濟運，今隔一堤，仍有閘洞通流。乾隆三十年春，

高宗南巡，御舟過瓦甸鎮，會大風起西北，拔木飛沙，波濤震蕩，急維舟於榷樹，逾時始定。

詔建湖神廟於其地，有司遵即興工，且於對岸建

龍王廟，以相輝映。

回鑾則已石欄護樹，飛閣流丹，長楊絡隄，清流激岸矣。余於丙申秋，驗收揚河碎石坦坡等工，泊舟祠下，讀

楊重英碑記，始悉原委。問權樹，則已枯息，僅存老榦。石欄則已移卸，祇餘舊基。乃命汛弁覓之民間，並商同王黼廷（名國佐，順天，職員，後官河道。）曹鎮齋（名文昭，山西，舉人，後官河道。）二司馬，捐廉重新祠宇。是年冬十月，督放空運第三塘，適遇颶風，欄清堰走漏，草閘墊陷。余坐危堤徹曉，參將張兆督搶二壩，一晝夜即合。得阻黃流，隨趕修攔壩，放船南下，不誤回空限期，實邀天幸。十一月，督送尾幫，重至祠下，已復舊觀，尤奇者，權樹得雨，又發孫枝，爰擇吉開光，仰瞻神像，恍若素識，蓋即前集燕子揚帆記夢中所見之第一座也。因獻楹帖云：示夢記江頭，曾許我一帆風順，安瀾連河上，願長此大樹春榮。謹按：神姓耿，諱裕德，行七，宋時人，官河上，歿而為神。見州志。嘉慶間，百文敏公又以紅鐙示異，奏請敕封康澤靈應侯。高郵有廟，稱七公殿，惟兩地廟貌迥不相同，意者此其真相乎。

賞春開宴

賞春開宴

丁酉春，接准部文：正月欽奉

硃諭：三載考績，乃激揚大典，滿漢諸臣，有能實心實力，克稱厥職者，自當甄敘。江南河道總督麟慶，修防無誤，獲保安瀾，著加恩交部議敘，等因，欽此。聞

命自天，感悚無地，謹具摺陳謝。先是，

敕鐫平定回疆銅版戰圖告成，每分十幅，以六十分

頒賜王大臣，麟慶預焉。并因前在河南時承辦兵差，得

邀優敘，故謝摺內有昔權豫臬，紀敘蒙

恩。今督河干，戰圖拜

賜。源探蔥嶺，慶波浪之胥恬；域指蒲昌，喜烽煙之永靖等語。時陳奎五提軍（名階平，安徽行伍，由廣西調任江南。）過此來賀，贈孔雀二，因留西園小酌。奎五言，昔充轅下材官，親見李鄭林河帥（名奉翰，漢軍，廕生。）太夫人於乾隆四十九年在荷芳書院跪迎

聖駕焉。嗣得家言，知內子送長女妙蓮保循例赴選，於二

月朔在

順貞門宮內排班。

上謂

孝全皇后曰：此女有福澤，貌似其父。

命賜紅紬一卷，后命加賜翠花兩對，撂牌而退。實為非常恩典。謹又恭摺陳謝，有旣叨賜綺之榮，復拜簪花之賞，不特全家戴德，直教合族增光等語。尋內子率長女至自京師，乃張宴賞春亭以相賀。風和日麗，柳媚花明。則見雙鶴翩翻，對舞而翎梳玉潤，家禽璀璨，顧影而彩耀、珠圓。喜溢尊罍，歡騰子女。凡茲家慶之緣，實皆君恩所賜也。

湘雪巨緣圖記

湖心建塢

湖心建塢

洪澤湖本漢富陵郡，唐為洪澤浦，宋始開渠以達於淮，漸成巨浸。嗣全淮壅注，滂湃於山、清、盱、泗之間，東岸為高家堰，南至天然壩，石工林立，綿延百二十里，險過礁磯。老子山對峙湖心，馬狼岡山根顯露，觸即覆舟。而且水面汪洋，茫無港汊，一遇大風，怒濤山湧，除湖口武家墩、湖南蔣家壩舊設二塢可泊外，餘俱無從屯避，商旅患之。甲午夏，余因會議新設水師事宜，訪知建塢非在湖心，難收救生實效，委守備黃佩（宿遷行伍）勘得老子山東面有沙路一條，環接山根，可收束作爲門戶，上加碎石禦水二丈，並於西面抛砌碎石壩一道，以作塢門，需費五千金。查河庫本有救生樁一款，奏請動用，得

旨允行。尋又議在老子山高處立天燈，以示夜行，各船商民稱便。戊戌四月，余將有事龜山

淮瀆廟，鼓棹渡湖，午泊老子山，水師都司王瑞（丹徒人，令官遊擊。）整隊來迎。得七律一，曰：旌旗森列水犀軍，擁映湖光絶俗氛。波底魚龍齊聽令，帳前虎豹漸成羣。青連老子山前草，紅指僧伽塔上雲。最喜吾民占利涉，布帆來往織斜曛。又閱船塢，得五律一，曰：

風浪浩無垠，行舟何處存。好憑沙作障，直藉石爲門。月黑孤燈引，帆來萬馬奔。水衡錢不惜，永戴聖人恩。

龜山問井

龜山問井

龜山在盱眙縣東北洪澤湖中，上有淮瀆廟，載在祀典。近年來安瀾屢告，爰請於
朝，得
御書星瀆昭靈額，戊戌四月，敬奉渡湖詣山致齋，蠲吉恭懸。駿奔將事，禮成，見殿旁有藤相，赤面，衣紅錦袈裟，土人呼為庚辰大聖，奉祀維虔。余按：庚辰，夏后四相，面赤與否不可知，其服釋家服則無說，似係泗州僧伽大聖之誤。況大聖，內典、舊志均載有功德於民，為鳳、泗人心所嚮往，禮應附祀，因為文

以記之。又按寰宇記載：禹治水至桐柏，獲淮渦之神曰巫支祁，鎖之龜山之足，淮水乃安。一統志載：支祁井在龜山。余問井所，或言在大殿拜石下，或言即明唐龍所立當門碑座，均無確據。尋出廟西北行，登最高處，有亭今圮。土人指其下爲沈牛潭。命汛弁駕小舟以水墜試，水深十餘丈不等。攷盱眙志載：唐代宗時，刺史李湯曾以牛五十頭引山下鐵索，索盡，怪現，狀類青猿，雪牙金爪，高五丈許，見人欠伸，張目如電，尋退，而帶牛入潭云云。既而周歷山麓，見有磚門三，鐵佛四，沈浸湖中，詢知爲宋金臂禪師所建無梁殿故址。康熙十九年，泗州城沒，同淪於水，今已百有餘年矣。惕然心動，為詩以紀曰：

天藻輝煌下紫宸，小臣親捧拜
恩新。元圭早仰當年績，白璧期盟此水神。羅漢梁空忘甲子，支祁井冷重庚辰。臨流又動莊嚴願，土蝕波湮丈六身。

歸而商之李石洲都轉、（名國瑞，河南，舉人。）朱春敷觀察，捐廉興修，委黃佩督工焉。

洪澤

歸帆

洪澤歸帆

余之渡洪澤湖而西也，雨則時灑時止，雲則載陰載陽，喜乘東風臨，流得句，曰：仗節竟揚舲，遥山入望青。風聲疑虎吼，水氣作龍腥。工險逾彭蠡，瀾狂勝洞庭。富陵成巨澤，誰與訂酈經。薄午，泊老子山船塢，天晴風轉，登山閱伍，無礙行程。比回舟，而風又順。出塢西行，酉刻陡遇風暴，急投灰溝宿。口占云：咫尺龜山路，偏教阻石尤。烏雲壓舵項，黃氣作風頭。浪軟知無底，盤旋不自由。長年幸習慣，小泊認灰溝。風濤震撼，徹夜不能安枕。清曉風定，移泊龜山，入廟齋宿。陳鐵齋名景崧，江蘇，戊辰同榜舉人，時官訓導。自虹鄉來，班荊道故。鐵齋曰：某江蘇人，來此有年。前數載，鳳、泗、淮、揚，水災疊報。自公到任，上下河連獲豐收，且聞不主蓄清之說，然乎，否乎。余曰：蓄清刷黃，治河通義。特今之黃河，底已淤高，故湖水昔存九尺而暢出，今則二丈而不敵，若必强蓄，鳳、泗先受其災，迨蓄極而放，運河難容，勢必啟高郵五壩，淮、揚又罹其患。余主孟子排淮注江之説，祇留湖水一丈四尺，以足濟運行而止，餘則早洩歸江，然亦幸連年未遇異漲，實邀神佑。鐵齋笑曰：向嘗疑注江之説，今得解矣。翌早，祭畢，分胙，登舟。守備蔡天禄（山陽行伍）請所嚮，曰：禮河蔣壩。舟子有難色，余問故，對曰：由此至老子山，風宜西南，轉馬狼岡，宜西北，赴禮河，宜東北，折還蔣壩，又宜西南，恐未免於阻滯。余曰：行矣。乃解維而風隨山轉，舟若雲飛，不半日，竟抵蔣壩，咸以爲異。

润墨民续区计

荷亭納凉

荷亭納涼

清晏園池中有亭，攝月最先。一橋蜿蜒於左，宛若渴蜺，故顏之曰倚虹得月。又大柳三十許株，清疎環水。滿池植蓮花，時令人作九品蓮臺想。因題楹帖，云：四面綠陰春管領，一池紅雨水文章。每暑月，輒攜詩書案牘坐其中，以息躁汏濁。丙申夏，檢查積案過多，乃立課，每日閱題稿二，自夏徂秋，計共題二百六十六件。冬季亦然。又因庫册舛錯不符，奏明清查。尋御史某某以工程不固，庫款不清，劣幕營私，廳員衰老等情，交章叅奏。

上命尚書朱士彥（江蘇，探花，卒謚文定，入祀賢良祠。）查辦。丁酉六月到浦，調冊勾稽，逐款駁詰。八月，周歷各工。尋

奏言：工程堅固，安瀾有象。沈姓兄弟，並未在浦作幕。廳員除已故及辦公無誤者不論，有年逾七旬者一員，應休致。河庫冊造，轇轕不清，請革庫道職。惟自八年至十六年，款目紛繁，河臣曾先奏清查，乞仍交河臣核辦。得

旨：均如所請。乃設局延劉小梧（名霖，江蘇，職員。）王靜軒（名熙文，江蘇，監生，後官知府。）司幕務，而以陳菊塍司馬（名勳文，浙江，監生。）董其成。逾年始竣。

奏入，交部詳核。戊戌六月，余坐亭中，接准部復，頓覺俗塵一消。憑欄觀水，微風鼓盪，泡起於下，纍纍若飛星相逐。小女佛保，拈花瓣投之，作蛺蝶舞，紅翻緑繞。時長女妙蓮保，仰承

先志，編輯正始續集成，又得潘虛白伯母、翁繡君女史序二首，將以就正，攜婢自橋上來，指點鶴鹿，妙參詩趣。事過思之，此境正不易得也。

東園探梅

東園探梅

萬壽重寧寺，在揚州北門外，其大殿後，雕墻三門，中曰普照大千，左香林，右寶華。門内屋立四柱，中空若樓，供番佛瓦窯聖，類牟尼，左供阿赤爾馬儀，類普賢，右供紅勝波諦，類觀音。四邊飾金玉沈香爲罩，上垂百花苞蒂像，散花道場做法，悉照内工，爲江南冠。乾隆間淮商建以祝鑾。東有園曰東園，歙人江春（商籍生員，以捕獲逃監張鳳功，特賞布政使銜。）建，以供宸遊。蒙賜堂額曰熙春，室曰俯鑑，廳曰琅玕叢。遂擅諸園

之勝。園門外卽梅花嶺。己亥二月，麟慶奉

命，會陶雲汀先生勘人字河，至揚相候。適梅花盛開，沈蓮叔、名拱辰，浙江，進士，官鹽運使。伊芳圃、名克精額，蒙古，親軍，官河道。溫東川名予巽，陝西，進士，官知府，今晉按察使。治具相邀。至門，見土阜夾石，石骨峭露，沿嶺上下植梅數百株，種多玉蝶，嶺上有亭，六角，掩映花梢。尋徑登亭，綠萼紅英，繁香四繞，眞所謂衆香國也。入園則水木清華，堂厦軒敞，而且磁山清麗，鏡室晶瑩，尤他處所無。尋得雲汀先生信，因病不克出省，囑督司道勘議。隨赴人字河，勘得該壩去江三十餘里，並無攔江名目，且口寬十八丈，較之金灣壩等歸江去路十二處共寬二百三十餘丈，焉能阻遏衆水。況築壩蓄水，乾隆二十八年奏准有案，並非始自近年。總之，鹽、漕均關國計，商民同係赤子，未便徇附近一二處自利之私，而忽上下數百里運道之利，應請循舊。得旨：如議。蓋緣給事中成觀宣（寶應進士。）條陳人字河近日鹽商築壩攔江，請飭啟除也。

漱雪厂填詞圖詞

河口問壽

河口問壽

余之歸自人字河也，途中淮揚敦甫協揆、（名金鉞，浙江，進士。）吳甄甫侍郎（名文鎔，江蘇，進士，今官巡撫。）移稱，奉旨復勘閘工。先調修閘舊卷己亥三月到浦，同詣福興越閘、惠濟正閘，周歷查勘，丈石探水，並赴現在行漕之正越二閘，閱重船提溜。上行又赴洪澤湖東清壩，察看來源。奏言：遵查兩閘情形，核與原奏及冊載做法均屬相符，其福興越閘，前次間段補修，現係拆建，是以銀數不同，道廳等並無朦混浮冒情弊。得旨，著麟慶照估督修。等因。遵即委員興工，親駐河口，往來巡視。四月十二日，自閘歸寓，衛守備李國英（直隸，武進士。）稟：太倉後幫第十七號漕船，有老水手年一百三十二歲，并有雍正七年初充水手印册，及嘉慶十二年前道憲李（名長森，安徽，進士。）所賞百歲銀牌為據，已攜之來。命呼入，鶴髮飄蕭，駘背傴僂而精神强固，狀若六七十許人。問何名，曰史浩然。問何籍，曰山東汶上。問何年生，曰康熙戊子。問何修養，曰：小人蠢人也，餓了喫，困了睡，心不想事。余頒之，賜青蚨十貫。老人尚能手攜其五，餘命家丁代攜而出。靜思其言，淵乎有味，覺軒冕爲繫人具。復自思：此心不用，何以立人極，孔席不暇暖，墨突不得黔，聖賢之道，正未容以此易彼也。又余有老門生二，李元奐（安徽，副榜。）年八十二，馬秉鈞（河南，欽賜舉人。）年一百一歲，附記之。

江雲臣綸匯訶

皂河喜雨

又慮來源漲滿，建流潦涸尾閭五壩，以資減洩，制度大備。戊戌冬，東河因微山湖收不符誌，竟奏飭江南自行籌水，并請俟重運抵宿遷後，再行宣濟。會御史朱成烈（直隸，進士。）先參東河蓄水不足，余反不便再陳。己亥三月，重運首進渡黃，委副將秦攀萼（安徽，義勇，後官總兵。）親督至宿，咨會放水。詎泇河廳惜水如金，放不符誌。又值雨澤愆期，源枯流細，凡江境泉水從石罅泥穴中尺疏寸導，歷半月餘，河水終未增益。余時查料徐州，得信知貓兒窩一帶水淺膠舟，心慄慄以滯運懼，遙望皂河

安瀾龍王廟虔誠致禱。比抵貓兒窩，忽報大淀口水長，船得魚貫而進，兩岸軍民同聲歡呼。晚泊皂河
龍王廟北，又得大雨，各路山泉漲發，河水頓增五尺。不特首進遄行，二三進亦連檣出境，實仰賴
聖主洪福，
神祇効靈，爰請額聯，恭懸祀謝焉。

龍門湖市

龍門湖市

龍門壩即高澗壩，爲堰、盱交界。臨湖置鐵牛，張文端公午日所鑄十六鎮水犀之一也。背有銘曰：惟金剋木蛟龍藏，惟土制水龜蛇降。鑄犀作鎮奠淮揚，永除昏墊報吾

皇。壩東有風神廟，北有禹王宮，與高家堰上銅像關帝廟，靈應顯赫。乾隆間，均奉

勅覆以黃琉璃瓦，遥相輝映。己亥秋七月，洪湖異漲，余往

巡閱。將抵龍門壩，遙望湖波浩淼，山影微茫。忽見傑閣凌霄，飛甍炫日，重簷八柱，井藻分明。汛弁跽而告曰：此湖市之蜃樓也。方注目間，微風激霧，若有若無，隨冉冉沒。湖波自若，而樓閣已化為烏有。噫嘻，秦之阿房，楚之章華，魏之銅雀，陳之結綺，其始也，屑藻塗香，輝爭金碧。其繼也，赤紛綠駁，蕩為煙塵，是亦蜃爾，則此又何足異哉。獨聞湖市主水大頓，生戒心。歸詣高堰

關帝廟，廟祝言赤馬出汗，余疑為濕氣所感，自往驗視，鞍韉鞦轡乾潔如故，獨馬身汗滴若珠，益凛

神異。會八月初三四五等日，西風大暴，達旦連宵，掣卸石工二千餘丈，運口汛水漫閘背，趕即親督搶護，飭啟林家西及高郵四壩以減漲，衛隄昭關一壩，派遊擊盧永盛（清河行伍。）堅守，幸保安瀾。隨請得

御書神功佑順額，并敬撰楹帖曰：高堰昔成，湖前朝患從鳴鼉，銅像巍然崇廟貌；洪流永奠，喜此日靈徵汗馬，金堤屹若荷神庥。

冰雪臣總圖言

福壽拜恩

福壽拜恩

道光庚子，麟慶年五十歲。年前接准部文，十二月初一日奉
上諭：鄧廷楨著調補兩江總督，未到任以前，著麟慶兼署。欽此。遵即具摺謝
恩，於十六日接受督篆，并兩淮鹽政關防，在浦視事。先是，己亥春，
頒賞福字、鹿肉外，蒙
恩加賞壽字一方，謹即陳謝。摺內有：九五福曰壽，壽本如山，八千歲爲春，春原似海等語。謹按：向來滿漢

大臣，官至一品，年逾六旬者，始邀壽字之賞。今麟慶官二品，年僅四十有九，實為異數。特賦詩以紀曰：

錫福來天上，頒春自日邊。雲龍徵際遇，月鹿共傳宣。近艾臣方壯，搴芰任獨專。承恩添壽字，聖意為延年。

時女妙蓮保，姪崇壽仲文弟子、子崇實、崇厚，均有和章。貽齋鍚名文繼，漢軍，監生。亦見而屬和。至是，復蒙御書福、壽字之賜，謹又摺謝，恭率妻、女、子、媳，仰瞻宸翰。內子程孟梅賀以詩曰：昨歲曾蒙

壽字加，又看
宸藻煥雲霞。督鹽兼攝榮三印，福祿來同映五花。繞膝
喜知承
祖訓，齊眉恩共沐
天家。與君偕老平生願，大衍同開樂歲華。內子亦乾隆
辛亥生，故云。

梅花校士

梅花校士

揚州安定、梅花兩書院，名重天下，而梅花尤著。清江亦有書院曰崇實，李湛亭河帥（名宏，漢軍，職員。）所建也。余到任督課，必躬必親，諸生羣知感奮，送嘉惠士林額，并楹帖云：策全力以宣防，河汛安流，功著桃花、瓠子；分公餘而課士，人文蔚起，名齊鹿洞、鵞湖。懸之書院經正堂。庚子二月，又親甄別，得士陳元熀（清河，廩生，今官通判。）等八十四名，分內外課送院。尋按臨揚州，詢知安定書院在城內，

聖祖南巡，賜經術造士額。梅花書院在廣儲門外，本明尚

書湛若水甘泉行窩舊址。雍正間，祁門馬秋玉主政（名曰琯，商籍，生員。）建，嗣朱子穎都轉廓而新之。前濬方塘，面塘為大門，即以濬塘之土累積於右，樹之以梅，以復梅花嶺舊觀。其左為孝子祠，祀邑刲肝蕭孝子。（名曰瓚。）嶺南為閣部墓葬，前明史忠正公（名可法。）衣冠，旁有祠。又孝廉堂，為舉人肄業所，今雖廢，仍准附梅花肄業。余下車觀風，舉貢生監投考者一千八百餘人，分題扃試，選拔六十名，在鹽署四并堂合復，親校甲乙，選刻試藝以示獎。時安徽拔貢江新祖，舊門人也，亦在選中，交卷後另呈詩四，曰彤軒賜壽，宸藻褒庸，續茂安瀾，勳崇兼篆。尋高承治（甘泉，廩生）獻清晏平成頌，周鑛（江都，廩生）獻集毛詩四章，唐沂（江都，廩生）獻柏梁體詩百韻，陳致和（甘泉，生員）獻七律三十首，周光旂（江都，拔貢）獻七律四，朱華（江寧，拔貢）、江儀吉（儀徵，監生）、金泰（安徽，生員）各獻詩百韻，毛鳳藻（甘泉，生員）、祝廷庸（江都，廩生）各獻詩五十韻，又唐淳（江都，歲貢）同子移（生員）各獻畫扇一，淳號樸園，以白描名於時，年已八十矣。一時傳為韻事。

測量全義圖書

文滙讀書

文匯讀書

文匯閣，在揚州
行宮大觀堂右，乾隆四十五年建，以恭貯圖書集成，
賜今名，并東壁流輝額。閣下碧水環之，為卍字河。前建
御碑亭，沼池疊石為山，玲瓏窈窕，名花嘉樹，掩映修廊。四
十七年，四庫全書告成，
高宗垂念江浙為人文淵藪，
特命多繕三分，頒貯浙江文瀾、金山文宗與此閣為三，江
南實得其二，典司出入，掌自鹽臣，尋又恐徒供插
架，無裨觀摩，

詔許願讀中祕書者，就閣傳鈔。嘉惠藝林，曠古未有。庚子三月朔，偕沈蓮叔都轉、宋敬齋大使（名佩紘，河南貢生。）同詣閣下，亭榭半就傾落，閣尚完好，規制全仿京師文淵閣。回憶當年充檢閱時，不勝今昔之感。爰命董事謝奎（儀徵職員。）啟閣而入，見中供圖書集成，書面絹黃色。左右列廚貯經部，書面絹綠色。閣上列史部，書面絹紅色。左子右集，子面絹玉色，集面絹藕合色。書帙多者，函用香楠。其一二本者，用版片夾開，束之以帶，而積貯為函，計共函六千七百四十有三。謝奎以書目呈，隨坐樓下詳閱，得鈔本滿洲祭天祭神典禮、救荒書、熬波圖、伐蛟捕蝗考、字孳等書，囑覓書手代鈔。所惜余先百計購求五世祖存齋公所著琴譜十六卷，曾奉旨採入四庫全書者，滿擬此行如願，詎亦未經頒發。豈以滿漢合璧之故耶，姑誌以俟攷。

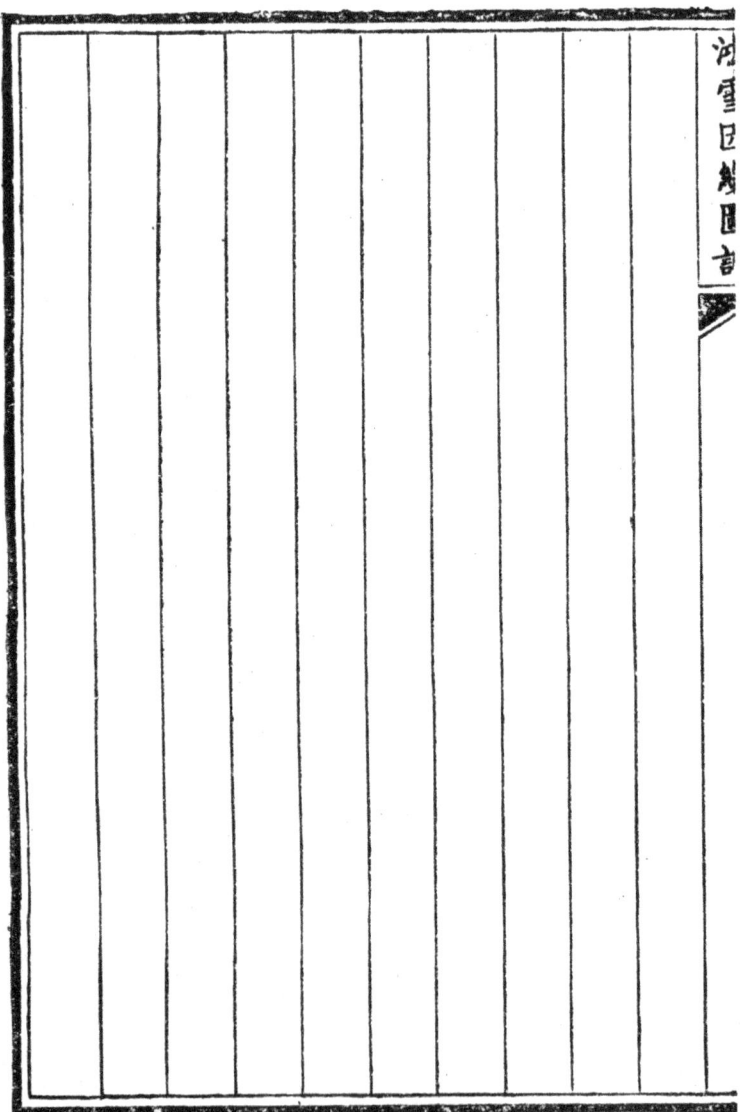

綠野泛舟

綠野泛舟

綠野，阮雲臺先生所題小舟名也。先生以大學士致仕歸里，文章經濟海内宗仰，余謹以再傳弟子之禮奉謁。適庚子三月三日癸巳，恰合上巳，又值寒食，相邀泛舟平山。清曉，余出郭，先生已艤舟待。隨打槳沿湖而西，夾岸園林，水木明瑟，一轉至紅橋，治春詩社，再轉至白塔晴雲，先生又先具肩輿待，以

賜輿（先生曾蒙恩賞肩輿入朝。）讓余坐。遂同登小金山，問蓮性寺，小憩白塔前，尋回舟縱棹保障湖，晴波渲碧，煙柳

濛青，水面風來，塵意俱散。舟行所到，綠野入望，覺裴晉公之堂遜此真趣。稍北，渡蓮花橋。橋上建五亭，下張四翼，每翼三洞，合正洞為十五。相傳月滿之夕，洞洞各銜一月，惜未得見。再北，經九曲池，叢葦成林，溪毛礙槳。遥望蜀岡，萬松疊翠，鱗張鬣竦，濃陰蒼鬱。抵岡，以輿代步，拾級而上，入法淨寺，登平山堂，二十四橋之煙景，三十六湖之清波，可攬可掬。揚州無山，至此而隔江諸山胥來堂下，則謂此堂為綠野也亦宜。隨邀過尺五樓，先生曰：平山園林之勝，在乾隆時為最，嘉慶間已漸零落，今又四十餘年，有僧守者尚得如故，其商家付之園丁多廢，惟存此一樓矣，幸而林泉具在也。余曰：盛衰循環，古今常理，林泉既在，俟物力殷阜，或當再復舊觀。所惜勝時無人筆紀，後之遊者，徒問諸荒榛蔓草爾。先生曰：子言甚善，吾鄉李艾塘秀才（名斗）曾撰畫舫録十八卷，會當持贈。因笑吟曰：兩人緑野泛舟日。余應曰：一度紅橋修禊春。

洄雪医论汇订

雙樹尋花

雙樹尋花

雙樹菴在長春橋西，廿四橋東。余偕阮雲臺先生返自尺五樓，仍鼓棹而東，遥望流水一灣，桃花夾岸，芳草鮮美，落英繽紛，宛然桃源風致。花南有亭，壁嵌石刻趣園二字。先生曰：此四橋煙雨也。溪北草木芔歙，籬落參差。先生曰：此邗上農桑也。沿溪隨花，直到寺門，則桃花菴矣。入菴坐，見悟堂，回憶丙申六月到此，以荷花勝，今則三月，以桃花勝，因而論及瓊花。先生曰：花在城内蕃釐觀，今已無攷。舊志再移於宋，一揭於金，後枯於元。或代以聚八仙，或指為玉蕊及繡毬，終無定論。按宋韓魏公詩云：維揚一株花，天下無同類。年年后土祠，獨比瓊瑤貴。中含霰冰芳，外團蝴蝶戲。荼蘼不見香，芍藥慚多媚。扶疎翠蓋圓，散亂珍珠綴。云云。似應另是一種，惜無人圖而傳之。近日雙樹菴有玉蘭二，開時亭亭，盍往觀乎。爰鼓棹而南，至長春橋，舍舟導陸，約二里許，見長墻迤邐，下砌石作虎皮紋。入門，萬竹參天，綠雲滿地。沿籬西北行，輿入山門，見雙樹大可合抱，老榦槎枒，干霄矗漢。循廊右轉，瓊蕊飛香，僧勝量瀹茗花前供客，并以其師慶公彙存

投贈詩畫卷相質。因跋卷後曰：道光庚子，三月上
巳，寒食之辰，儀徵相國招同綠野泛舟，紅橋修禊，
小憩山中。勝量上人出此索題花下展玩，詩畫皆
出名手。慶公梵行，不問可知矣。因書數語以誌緣，
題畢，仍泛舟返。

洴澼百金之書

桃泉煮茗

桃泉煮茗

鹽政署在揚州内城，大堂爲執法臺，恭懸

聖祖御書紫垣額。其西有四并堂、桃泉書屋，階下石泉一井，是名桃花。庚子二月入署，適准部文，欽奉

硃諭：三載考績，激揚是重，滿漢諸臣，有能公勤任事，實心實力者，自當甄叙。江南河道總督麟慶，慎厥修防，

安瀾奏績，著加恩交部議叙。等因，欽此。先是正月有

欽差侍郎恩桂、宗室，進士，今官尚書，步軍統領。大理寺少卿何汝霖江蘇，拔貢，今官侍郎，軍機大臣。赴工驗料，查出揚糧廳堆垛不實，宿南廳間有散漫，請將該管官分别革職，嗣有御史

某指劾督辦不嚴。得

旨。河臣等未曾驗收，從寬免議。等因。故京察謝摺有。在

聖主如天之度，宥過奬功，而微臣內疚之忱，撫躬滋愧。

等語。又淮北票鹽奏銷全完，正月

題報，淮南綱鹽，例限二月，上年受篆之日，計前任已

開綱十個月，僅實徵銀七十萬兩，餘限兩月，又值

封印，僉為虧額為懼，而歷年融北辦法，又奉部駮

不准，隨竟

奏借淮北協貼銀三十六萬，限三個月由商歸還。得

旨允行。到揚後多方籌催，親諭各商，凡完十分者，奬以

花紅，眾情踴躍，竟得報完本綱八分一釐，丁、戊兩殘綱及帶乙各課全完，共得銀二百二十九萬兩。眞非始願所及，然此皆眾友贊襄之力。爰於上巳後二日，小集桃泉書屋，邀幕客蕭楳生、（名令裕，江蘇，貢生，司鹽筴。）沈詠樓、（名元杰，浙江，職員，司刑錢。）沈鳳巢，（名桐，浙江，生，司摺奏。）麇汲桃花泉煮碧螺春，品畫評詩，臥起坐立，惟便暢所欲言。惜無善弈者，雅負范西屏（名世勳，浙江人，客高鹺使恆幕中，時著桃花泉弈譜行世。）弈譜爾。

金山操江

金山操江

金山城，明季建以屯糧。康熙初，將軍劉之源重修，以駐兵防海，旋廢。今之長廊，即城基也。乾隆間，大加修葺，上下金碧，遂成巨觀。前有
龍王殿，四十四年，
賜德佑安瀾額。山之東北，懸崖傑竦，有磴平曠，因之建操江樓，為校閱水師所。庚子三月，余校揚州等陸路十營畢，發令操江。合京口左右及高資營，得戰船二十。京口駐防副都統于公（名兆祥，漢軍，佐領。）以旗營從。循例每船配甲兵十五名。十一晚，泊金山，署副將

汪溥（江蘇行伍。）請曰：揚子江波濤洶湧，須東三面風來，方能合操，否則乞少待。翌辰，余詣
龍王廟拈香。須臾東北風作，號令一肅，海螺齊鳴。爰偕于都統升座，遥望戰船，排作兩翼三疊陣。紅旗一招，號礮一響，各船張篷啟椗。再招，再響，齊吹海螺，開行。三招，三響，各船鳥鎗齊發。如是者三，變為羣鳥穿花陣。左翼向右，右翼向左，旗招礮響，連環三進。藍旗一招，鳴金三聲，鎗礮齊止，吶喊揚威。紅旗一招，號礮一響，各船轉頭，變偃月得勝陣。忽來匪船，連環鎗礮齊作，有兵駕小船追匪，兩相對敵，

衆船吹海螺，吶喊助威。水兵爬桅獻技，施放火箭灰瓶，匪皆投水，兵亦入水追捕，排列八字，外環四方，為四海會同陣。擂鼓掌號，紅旗一招，兵在水中放排鎗，匪潛水底，變二氣相生陣。兵匪相對吶喊放鎗，變太和一氣陣。搖旗掌號，兵首頂黃煙爆竹，各持旗幟器械，圍匪中央，隨波起伏，擁至將臺前，擒匪獻捷。藍旗一招，鳴金三聲，登舟奏凱，收船灣泊。余乃以獎武牌及錢帛酒肉，大賚士卒焉。

洞靈巴經圖言

石公驗礮

石公驗礟

石公山，一名象山，在鎮江城東北，大江南岸，與江中焦山相對。諺云：石公兩象，焦山雙獅，獅象對踞，海門在斯。象山險僻，舊有送江亭已廢，惟峩嵋洞、釣月磯、青蓮花石尚存。山東列鐵礟六，隸京口右營。南三里許有雩山，藏鐵礟十八，隸駐防營。庚子三月，閱水操畢，渡江赴横越閘，察看運道潮信。隨至雩山，驗係紅衣礟，上鐫兩廣總督李率泰監造。車蓋堅整。復至象山，驗係前明所置鐵，雖鏽澀，斗門礟石尚無缺裂。飭營燀洗，演試應用。惟礟臺傾

圯，卽檄有司估修。先是，粵東英咭唎夷匪自澳門
封港後，頗不馴順，
上諭：沿海防範。麟慶因陳河標所轄沿海水師，祇廟灣
一營，管黃河、灌河、射陽三海口，曾經親看，祇有漁
販小船，不通夷商大舶。且海清河濁，潮落沙澄，訪
知口外有五條沙，船不敢犯。以故漕標鹽城、東海
二營所屬海口，亦資保障。其狼山鎭屬海門、掘港
二口，外多淺灘。惟蘇松鎭屬吳淞、川沙二口，臨近
大洋，崇明四面環海，向後東南風司令，急須嚴防，
現已密飭訪拏漢奸，整備火攻器具。奏入，得

旨：認眞妥辦。有應奏者，隨時奏聞。欽此。故有此行。又象山僧了璞，博通內典，兼善屬文。時方葺卧看雙峯閣，余擬便道一訪，會日暮未果，仍返金山。月上，了璞偕高明寺僧眞演，駕小舟來為壽。眞演獻七律四，有：一年最好惟三月，百歲才當得半時。自有靈鼉祝增算，更看仙蝶勸傾巵。并：處處蒼生託活命，問誰種壽似公多句。了璞獻古風一，結句云：稱觴却在部民前，持鉢聊從方朔後，再拜祝公無量壽。

洪雪臣經通詞

儀徵設局

儀徵設局

沙漫洲，在儀徵縣屬大江濱，為鹽船屯泊所。兩淮之鹽，南煎北曬，而運行名目，北有五撥十擯，今改票販，俱裁去。南有八開，八開者何，徵、請、重、壩、橋、所、捆、江是也。倒淮南有窩家先按引納銀請填砝單，無窩者，買單辦運，彙造清册名滾總。至開徵日，交銀上號，請領照單，一名皮票，是為開請。驗引給單後，俟開重日，分司對號，轉發場員按引捆鹽，運至泰壩，為開壩。委員將稱過斤重，填簿移所商至運司，請放引，將引以紙拈穿釘，候用騰印付走引人而船至北橋，為開橋。給旗立限，商人赴司納呈綱銀訖，造底馬册，發監掣廳。船至儀徵，候開所日擡鹽進所，隨將大包改捆子包，納加斤銀，是為開捆。其上號等事與請呈同，始將子鹽擡至沙漫洲，開江放行。每綱如是。其初原以杜弊，奈日久費增，幾半鹽本。自道光十年，議裁根窩，天池淤閉，而八開之費仍舊。余思兩淮盛時，商富財聚，力足敵私，故鹽易行而引不積。今則商之力薄，念此繁費，或可稍減。庚子三月，親赴儀徵、天池、沙漫、泗源等洲，督掣改包，見捆工及掃鹽貧民約十數萬，恃此謀生，勢難議裁。又看得開江後，距黃天蕩甚近，每遇風暴，最易淹消，南巢匪類又乘機剽竊，大為商患，乃倡修接龍禪林，俗名開江龍王廟設救生局，捐置紅船，有司紳商踴躍贊成，儀徵阮相國立碑記之。

洪雪邨總圖言

智信宣防

智信宣防

庚子三月杪回浦，伊莘農節相（名里布，滿洲紅帶子，進士，時以協辦大學士總督雲貴，調任兩江。）自滇南來，即日交卸督篆。四月，出查春工，周歷黄河兩岸，并由運河至山東臺莊閘，驗看紅油記。又由山安廳二塘下隄，直至響水口踏勘。給事中汪報原（山陽，廩生。）條陳改河道路。五月，督催重漕出境，啟放山盱壩河，會皖、豫陰雨連旬，立秋後，湖水異漲，為七年來所僅見。時智、信、禮三壩全放，祇餘義河。又因上年跌塘，不敢輕啟，乃單舸往勘。由智信二壩下冒險南渡，見奔流雙駛，自天上來，滾雪飛花，儼然懸瀑，而湖水仍積長不消，遂啓義河宣洩。適江潮暴長頂阻，隨委員趕放高郵四壩歸海。課雨占風，時深凜畏。幸黃河未經並漲。詎於白露後，疊長至四丈三尺餘，亦近年所無。直至寒露，始見消動。先是，英逆作亂，六月，攻陷浙江定海縣，江省戒嚴。余聞警卽督廟灣、佃湖二營，巡防射陽、黃河、灌河等海口，并飭河標，修整軍械，以備調遣。河營團練技藝，以資守望。尋奉檄調標兵往防上海，卽日起行。隨在黃河海口緝獲私硝人犯，交縣嚴辦。又獲夷人高天德等七名，親訊係朝

鮮國遭風難夷起，出書二本，一時憲書，一字類號
碼。奏
聞，解部，交通事辦認，為恩門字，確是朝鮮工尺得
旨：省釋回國。是時也，軍書旁午，水報疊申，眠餐俱不以
時，何暇復問家務。乃知古人公爾忘私，國爾忘家
者，非有意忘之也，勢不容不忘耳。況受
恩深，職任重，即無私心，尚慮才識不及，矧存私乎。幸
天心仁愛，英逆敗遁，河湖安瀾，回憶過智信壩下，乘風
破浪時，始願實不及此也。

芭香窩松

芭香寫松

荷芳書院有黃山松四，傳爲乾隆時陳設盆景。

高宗南巡，顧而笑曰：也算清奇古怪。蓋因蘇州鄧尉山香雪海司徒廟前，漢柏四株，曾有此名。己亥夏，陳芝楣中丞（名鑾，湖北，探花，戊辰同榜舉人，時以蘇撫署總督。）過此，見松青翠如故，言：昔在百文敏公幕中，習聞此説，惜盛典内未載，會當補之。又言：常熟胡孝子芭香（名駿聲）善寫松，且工寫照。乃延芭香入幕，恭繪

先嚴慈喜容，追摹神似。嗣爲余寫登泰山觀日出小照，囑錢叔美（名杜，浙江布衣，號松壺子。）補圖。阮雲臺先生題曰：

海嶽雲曰。越歲庚子，芑香來訪余，出陳朗齋、名鑑，江蘇人。汪惕齋名圻，江蘇人。所繪鴻雪因緣第二圖相示，爰倩寫照冠之，寫松為殿。適戈順卿明經名載，江蘇，貢生。題第一圖詞成，見此又喜曰：公眞所謂泉壑夔龍，衣冠巢許也。余遜謝笑曰：山水之好，出於性情，顧名勝不在山水，在於遊山水之人，特遊覽以時，弗可常，今為是圖，一披玩而向所遊者，咸在目前，則凡名勝山水之在天下者，固皆吾圖中物也。矧古之君子，居則修職業，行則采風謠，今以得之聞見者，筆之於書，又豈徒記緣而已哉。僉曰：善。時前後客吾幕者為潘滋泉、名詒棠，浙江，舉人。逸泉、名棫，浙江，生員。祝話石、名嵩之，江蘇，職員。楊申山、名崧森，江蘇，職員。鍾鑑之、名煦，浙江，廩生，後官州同。虞賡颺、名廷皐，江蘇，副榜。沈巽帆、名一咸，浙江，優貢。姜小崖、名淮，江蘇，職員。吳應襄、名賡陛，江蘇，監生。黃藝屏名錫申，江蘇，監生。及惲豫生、名光容，順天，生員，後官主簿。濬生名光宸，順天，進士，今官知府。兩外弟，伯明外姪，名增，順天，監生，今官典史。合併誌之。

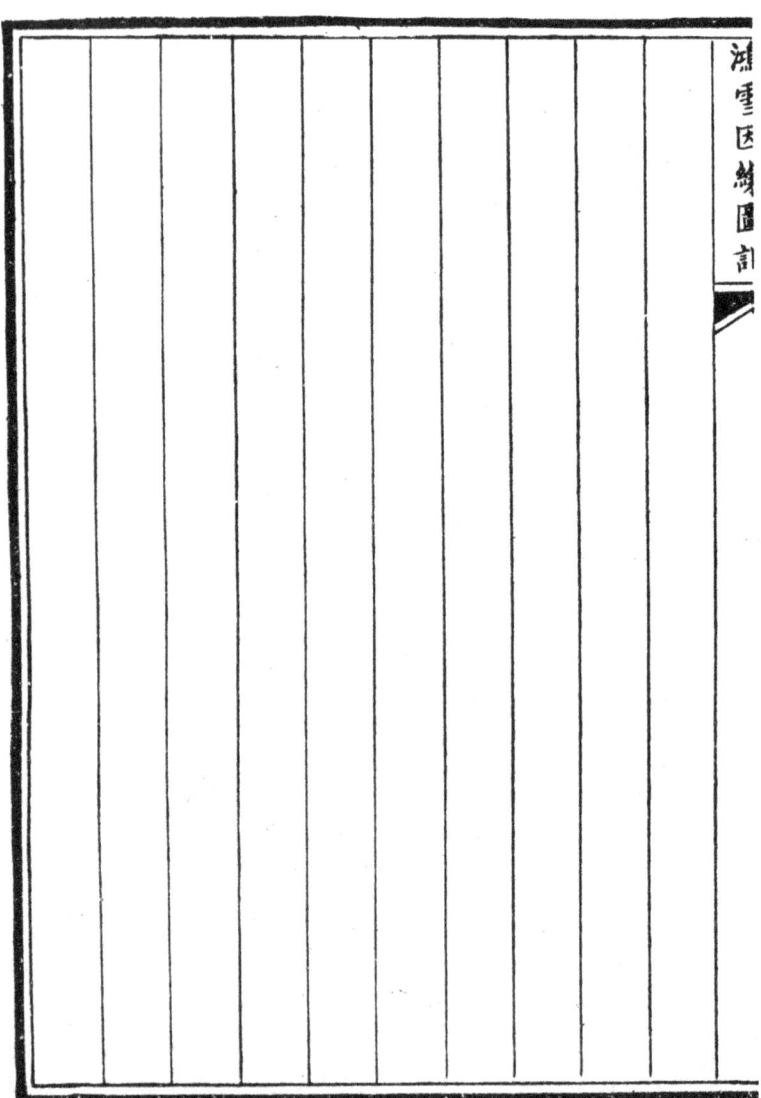